DÉBRANCHÉ
UNPLUGGED

JANVIER 1998 / JANUARY 1998

Préface de Gaston L'Heureux
Preface by Trevor Fe

L'ALBUM PHOTO
THE PHOTO ALBUM

Deuxième édition / Second edition

Couverture : Photographie de Alain Comtois, Montréal
Cover: Photograph by Alain Comtois, Montréal

Photographie gagnante
intitulée ***DÉBRANCHÉ***

Winning photography
entitled ***UNPLUGGED***

DÉBRANCHÉ
UNPLUGGED

JANVIER 1998 / JANUARY 1998

www.debranche-unplugged.com

Croix-Rouge canadienne • Division du Québec
Canadian Red Cross • Quebec Division

Secteur du Québec de la Force terrestre
Land Force Quebec Area

Conception et direction	Marcel Renaud	**Design and management**
Design graphique	Marcel Renaud, Louis Lapointe	**Graphic design**
Direction artistique	Louis Lapointe	**Artistic direction**
Coordination de la rédaction	Sylvain Turner	**Text coordination**
Rédaction	Andréanne Foucault, Sylvain Turner	**Writers**
Correction française	Chantale Landry, Annie Marsolais, Claudia Larouche, Anne-Marie Théorêt	**French proofreading**
Traitement des textes	Claudia Larouche, Stéphanie Fortier	**Word processing**
Traduction	Helena Scheffer	**Translation**
Correction anglaise	Dale Blackwell, Monique Renaud, John Chillcott	**English proofreading**
Recherche	Annik Alder, Sylvain Turner	**Research**
Coordination de la production	Annik Alder	**Production coordination**
Recherche de commandites	Caroline Godin	**Sponsorship coordination**
Coordination de l'impression	Danyel Pépin	**Printing coordination**
Relations avec les médias	Pierrette Gravel, Janine Lahaie	**Media relations**
Montage	Louis Lapointe, Martin Bruneau	**Layout**
Numérisation des photographies	Pierre Despatie	**Digitization of photographs**
Direction des ventes corporatives	Pierre Larosée	**Corporate sales management**
Gestion des photographies reçues	Claudia Larouche, Jessica Renaud	**Photo entries management**
Conception du site Web	Françoise Angers	**Web site design**
Promotion	Annik Alder, Luc de Bellefeuille	**Promotion**
Collaboration spéciale	François Tremblay, Jacques Fortin	**Special participation**
Pelliculage	Pénéga Communications	**Stripping**
Impression	Imprimerie Transcontinental inc., division Métropole Litho	**Printing**
Distribution au Québec	Québec Livres, Messageries Dynamiques	**Distribution in Quebec**

Dépôt légal - août 1998
Bibliothèque nationale du Québec
Bibliothèque nationale du Canada
ISBN 2-9806009-1-1

« DÉBRANCHÉ l'exposition photo » est une exposition itinérante qui devrait partir en tournée à travers le Québec à l'hiver 1998-1999. Elle présentera les meilleures œuvres de cet album ainsi que plusieurs autres.

« DÉBRANCHÉ » est une réalisation de :

Legal deposit - August 1998
Bibliothèque nationale du Québec
National Library of Canada
ISBN 2-9806009-1-1

"UNPLUGGED The Photo Exhibition" is a travelling exhibition that will tour Quebec in the winter of 1998-1999. It will include a selection of the best works from this book, plus several other photographs.

"UNPLUGGED" is a production of:

LOOKOMMUNICATION INC.
1100, rue Victoria, Lemoyne (Québec) Canada J4R 1P7
Téléphone : (450) 465-0789 • Télécopieur : (450) 465-7098
www.debranche-unplugged.com

Table des matières

Table of contents

Table des matières		Table of contents
Gare à vous... monsieur le monstre de glace !	8	Night of the falling trees
Par-delà la catastrophe	11	Beyond the disaster
Chronique d'un cataclysme	13	Chronicle of a catastrophe
Casse-tête pour météorologues	19	A puzzle for meteorologists
Zoom sur le verglas	23	Zoom in on the ice storm
Le verglas en chiffres	196 / 197	Ice storm facts and figures
Le don d'être là en temps de paix comme en période de tumulte	199	The Red Cross is there in times of peace and in times of turmoil
Une mission humanitaire à l'échelle de la planète	203	A humanitarian mission on a planetary scale
10 000 soldats fiers d'être là !	205	Ten thousand soldiers proud to be there!
Index des photographes	209	Photograph index
Remerciements	211	Acknowledgments

Cette publication a été rendue possible grâce à la précieuse collaboration de Bell Mobilité, La Presse, la radio de Radio-Canada, MétéoMédia, Radio-Énergie, Radio-Média, Carlson Wagonlit Travel et les Forces armées canadiennes, Secteur du Québec de la Force terrestre.

This publication was made possible by support from Bell Mobility, La Presse, CBC Radio, MétéoMédia, Radio-Énergie, Radio-Média, Carlson Wagonlit Travel and the Canadian Armed Forces, Land Force Quebec Area.

Préface

Gare à vous... monsieur le monstre de glace !

Rivé à mon téléviseur pendant des heures, je navigue sur une cavalcade d'images à la fois fabuleuses et monstrueuses. La tempête de verglas impose sa cruelle dictature. Sans crier gare, le « jardin de givre » dont parlait Nelligan s'est mué en labyrinthe glacé et ses froides impasses emmurent tout le sud du Québec. En quelques jours, toutes nos certitudes s'écroulent tels des pylônes terrassés.

Après le choc et la stupéfaction, la riposte s'organise, un peu tâtonnante, gigantesque, magnifique. Gare à vous... monsieur le monstre de glace... une solidarité à la fois nouvelle et ancestrale a décidé de vous faire face ! Une colossale opération de reconstruction se met en branle. Toutes tendances confondues, tous différends oubliés, Québec, Ottawa, les Forces armées, la Croix-Rouge, la Sécurité civile, les services municipaux, Hydro-Québec, sans compter un véritable régiment de bénévoles, unissent leurs efforts, coordonnent leurs ressources, établissent un plan d'attaque et vlan ! Le compte à rebours est commencé ! Les artistes ne veulent pas être en reste.

Preface

Night of the Falling Trees

After the storm's first night, unaware of what was yet to come, I was lamenting the loss of a limb from a favorite tree. Picking up a twig, I admired pine needles perfectly displayed within ice. The twig weighed an ounce. Packed in ice, twelve pounds. And this was only the first day.

In time, everyone would have stories and marvels to relate. We were cold, or warm enough; alone, or with friends; under siege by falling ice or rising water, or we spent days hunting candles and gasoline. Everyone had defining moments. For Hydro-Québec, it may have been the Night of the Falling Trees, when a single powerline served Montreal. If it failed...

That night, my wife and I were hauling water, as we did for two days. Filling a bucket in the basement, we climbed the stairs, opened the front door, and threw the water away from the house. In the moonlight, the yard was covered by a thick sheen of ice. Around us, like gunshots, great limbs cracked in the high trees. We listened for the fall. The thud of a giant limb upon the

À la hâte, avec quelques camarades, on imagine une « tournée du réconfort ». L'enthousiasme, la fébrilité et l'inspiration du moment compensent pour le manque de répétitions. On oublie les précautions d'usage, on se lance sans filet et avec tout son cœur. Dans les centres d'hébergement du désormais célèbre « triangle de glace », là où des milliers de personnes ont trouvé refuge, là où l'insécurité se conjugue souvent avec la tristesse et l'accablement, des spectacles s'improvisent, des spectacles où se module une émotion très forte et pure... Dame Solidarité envahit tout l'espace de sa majestueuse et réconfortante présence. L'espoir reprend son envol.

Avant de m'engager dans cette aventure, à titre d'initiateur de la Tournée Réconfort, j'ignorais que j'allais y faire une découverte merveilleuse, et je suis sûr que tous mes camarades musiciens, chanteurs, comédiens et techniciens de scène pourraient confirmer le phénomène. L'accueil qu'on nous a fait a été si chaleureux que nous avons eu l'impression que notre « cadeau » nous était rendu au centuple.

J'ignorais aussi que l'aventure allait se prolonger bien au-delà de la crise et connaître un autre heureux développement. Des circonstances ont voulu

ground was a comfort, for it signaled that no home had been struck. Every minute, another crack. Another thud. I was awed, briefly, by the beauty of the night, the glistening ice, nature's ravage. The calamity, the danger, imbued the scene with an otherworldliness, and it was true that our regular lives had gone dormant, that we had arrived at a place where we had never been.

We were in the dark and in the cold, returned to being hunters and gatherers. By day we searched for fuels, ran down leads for generators, stoked our pathetic little fires, insulated windows and doorways with blankets. We listened to the radio, to learn how things were in the city, how they were for farmers, how they were around us. Everywhere those without power were alone, yet together; anxious, yet calm; immersed in our immediate problems, yet at the disposal of neighbors requiring help. When a tall tree fell upon my garage, shaking the foundation of my home, its ice shattered like a thousand windows. I ran outside. The first thing I saw in the dark was the flashlights of neighbors running toward the sound of the crash. We were all in this together, we knew, and together we worked to emerge from the dark.

qu'on me demande de présider le jury de « DÉBRANCHÉ le concours photo ». Je suis fier aujourd'hui de vous en présenter les magnifiques résultats qu'on a compilés dans ce charmant album. Ces images, j'en suis sûr, vous feront chavirer le cœur. Sur la grisaille de la crise, elles ouvrent des brèches de lumière. Par-delà la détresse, c'est un chant d'amour qui s'élève...

Alors, monsieur le monstre de glace, d'une certaine façon, je vous dis « merci » de nous avoir permis d'écrire quelques-uns des plus beaux « poèmes de solidarité » de notre histoire !

Gaston L'Heureux
Président du jury et porte-parole

On my street, private property became community property. Need a tool? Help yourself at any hour, no need to knock. A single, small generator was located and moved around, dragged from home to home on a snow scoop. As more generators were found, people moved into the warmer houses, and all along we cared for the elderly and helped families with small children to evacuate. These scenes were endlessly repeated throughout the darkened landscape.

The night that the power was cut, the people in the dark were energized. We worked for one another. We saw each other through.

Trevor Ferguson

Par-delà la catastrophe

Étonnante conjoncture que cette crise du verglas ! Deux géants s'affrontent . d'un côté, le verglas et ses milliers de pièges ; de l'autre, une solidarité qui se déploie comme une véritable force de la nature. Une expérience unique s'impose à tout un peuple.

Pour l'amateur de photos que je suis, il était facile d'imaginer que d'autres amoureux de la photographie allaient chercher à capter ces moments à la fois déchirants et éblouissants.

Je sentais qu'il y avait matière à créer un événement fort riche et très émouvant. Nous assistions à un décloisonnement social sans précédent. N'était-il pas possible de rassembler tous ces points de vue et de constituer ainsi des repères pour les générations à venir ?

Une bande de pigistes et moi-même avons donc organisé un concours de photographies. Dès le départ, nous avons senti que l'aventure serait unique en son genre et, grâce à la particularité de son thème, unique au monde. « DÉBRANCHÉ le concours photo » a reçu une réponse massive. Près de

Beyond the Disaster

What an extraordinary situation created by the ice storm! Like two giants going head to head: the ice and its thousands of problems versus the solidarity that came to life like a true force of nature. A unique event was experienced by an entire people

As a photography enthusiast, I knew that other photo buffs would also be attempting to capture these distressing, yet awe-inspiring moments on film.

I could feel the highly-charged emotions building throughout the event. We were all living through this together. The ice storm: an unparalleled social leveler. Would it be possible to collect all of these points of view and create a reference for future generations?

So a group of freelancers and I decided to organize a photography contest. From the start, we knew that this venture, due to the particular nature of its theme, would be unique. The response to "UNPLUGGED The Photo Contest" was incredible. We received nearly 4,000 entries. It was a real challenge for the creative team who worked

4 000 clichés nous sont parvenus. Une vraie récompense pour l'équipe de création qui s'est littéralement défoncée à la tâche, y investissant toute son ingéniosité, tout son talent.

Aujourd'hui, nous sommes fiers de vous présenter cet album qui, d'une certaine façon, cristallise les plus beaux aspects de ce bref mais intense moment de notre histoire. Félicitations à vous tous, amateurs et professionnels, qui avez été guidés par votre inspiration. Que vous soyez publiés ou non, gagnants ou non, c'est à vous que nous devons la superbe mosaïque que voici. Nous espérons que ce recueil saura vous rendre hommage.

Marcel Renaud
Concepteur, éditeur

tirelessly, applying all their ingenuity and talent to this project.

We are very proud of this album which, in its own way, captures the most impressive aspects of this brief but extremely intense moment of our history. Congratulations to you all, inspired amateur and professional photographers alike. Whether or not your work was published, the credit for this superb mosaic is yours. We hope that you will consider this book a fitting tribute.

Marcel Renaud
Designer and publisher

Chronique d'un cataclysme

Samedi 3 janvier : Environnement Canada prévoit de la pluie verglaçante pour le lundi suivant. En apparence, rien d'alarmant...

Dimanche 4 janvier : Environnement Canada lance un premier avertissement météo. La pluie verglaçante commence effectivement dans la nuit de dimanche à lundi. Les divers services de la Sécurité publique décident de surveiller la situation de plus près.

Lundi 5 janvier : Alors qu'on attendait entre 10 et 20 mm de pluie verglaçante sur les régions concernées, il en tombe presque le double, soit 27 mm sur l'Outaouais, 23 sur Montréal, 30 sur les Laurentides et 20 sur la Montérégie. Le poids du verglas affecte les lignes électriques, les fils cassent et les pannes commencent. En soirée, 450 abonnés se retrouvent dans le noir. Hydro-Québec est sur les dents et procède hâtivement à l'inventaire de ses stocks de remplacement : poteaux de bois, pylônes, câbles et autres pièces d'équipement. Au cas où... Alertée, la Sécurité publique se mobilise.

Chronicle of a Catastrophe

Saturday, January 3: Environment Canada forecasts freezing rain for Monday. It doesn't appear to be anything serious...

Sunday, January 4: Environment Canada issues a first weather warning. The freezing rain begins to fall overnight and into the next day, Monday. The various public security services decide to monitor the situation a little more closely.

Monday, January 5: Although 10 to 20 mm of freezing rain are expected, nearly twice that amount falls: 27 mm in the Outaouais, 23 mm in Montreal, 30 mm in the Laurentians, and 20 in the Montérégie. Power lines are affected by the weight of the freezing rain, wires snap and power outages begin. That evening, 450 households find themselves in the dark. Hydro-Québec feels the pressure and hastily prepares an inventory of replacement stock: wooden poles, pylons, cables and equipment. Just in case... The Quebec Public Security Department is alerted and swings into action.

Mardi 6 janvier : Les choses se corsent. Dès 7 h du matin, les équipes d'Hydro-Québec sont à pied d'œuvre même si on n'a encore aucune idée précise de ce qui va arriver. Vers midi, toujours sous le poids du verglas, des pylônes s'effondrent dans la région de Drummondville. Une première ligne de transport électrique, soit celle de 735 kilovolts qui relie Nicolet à Boucherville, est mise hors d'usage. C'est tout le réseau qui en est immédiatement affaibli. Les ingénieurs estiment que 2 000 mégawatts sont perdus dans l'axe Québec – Montréal et 500 dans celui des Hautes-Laurentides – Montréal. Pour le commun des mortels, cela signifie plus prosaïquement que 700 000 abonnés sont purement et simplement « débranchés » ! À la Sécurité publique, le téléphone ne dérougit pas. Les équipes de coordination se relaient 24 heures sur 24 pour acheminer les premiers secours. La Croix-Rouge installe ses premiers centres d'hébergement. Pour des milliers de gens, c'est le début d'une expérience souvent douloureuse, marquée par l'ennui, l'inquiétude et les aléas de la promiscuité. De plus, la météo prévoit d'autres vagues de pluie verglaçante et des risques d'inondation menacent l'Estrie où des embâcles se sont formés.

Tuesday, January 6: Things are getting worse. By seven in the morning, Hydro-Québec teams are hard at work, although, still, no one has any idea of the extent of the problem. At about noon, pylons crumple under the weight of the freezing rain near Drummondville. A first hydro transmission line, the 735-kilovolt line that connects Nicolet and Boucherville, is down. The whole network is immediately weakened. Engineers estimate that 2,000 megawatts have been lost on the Montreal – Quebec City axis, and another 500 on the Upper Laurentians – Montreal axis. In layman's terms, this means that 700,000 households have no power. At civil-protection offices, phones are ringing off the hook. Coordinating teams work 24 hours a day to dispatch first aid. The Red Cross sets up its first shelters. For thousands of people, it's just the beginning of an experience that will be arduous for many, marked by boredom, worry, and fear of the unknown. Worse, more freezing rain is forecast and there is a risk of flooding in the Eastern Townships, where ice jams have formed. In Mirabel, 25 mm of precipitation have fallen, and in Saint-Hubert, nearly 35. The weather is already breaking records!

À Mirabel, les précipitations atteignent 25 mm et, à Saint-Hubert, près de 35. Au point de vue de la météo, on commence déjà à battre des records !

Mercredi 7 janvier : Contre toute attente, la tempête semble se calmer. Des centaines d'équipes d'Hydro-Québec s'activent à réparer ou à remplacer les poteaux, fils électriques et pylônes endommagés. On réussit à rebrancher 300 000 abonnés. Tout porte à croire que la situation peut être maîtrisée en quelques jours. Mais à 22 h, les deux lignes de 230 kilovolts qui alimentent le poste stratégique de Saint-Césaire flanchent sans crier gare. La distribution est interrompue dans toute la région qui en dépend. Résultat : 500 000 foyers se retrouvent dans le noir. Le terrain qu'on a regagné de peine et de misère dans la journée est de nouveau perdu, et pire encore...

Jeudi 8 janvier : Les précipitations verglaçantes redoublent d'intensité. À Mirabel et à Saint-Hubert, les deux zones « témoins » où on mesure les chutes de pluie d'heure en heure, on enregistre respectivement 42 mm et 65 mm. Nouveau record ! Un peu partout, les pylônes s'effondrent à la chaîne, tel un dérisoire jeu de dominos. On perd ainsi trois lignes de 735 kilovolts dans la ceinture qui alimente la

Wednesday, January 7: Contrary to expectations, the storm seems to be abating. Hundreds of Hydro-Québec teams are on the job repairing and replacing damaged poles, power lines and pylons. Power has been restored to 300,000 households. There's every indication that the crisis may be over in a few days. But at 10 p.m., two 230 kilovolt lines that supply the strategic Saint Césaire sub station are knocked out without warning. Power distribution to the entire region is interrupted. The result: 500,000 homes back in the dark. All the progress so painfully made, inch by inch, has been lost, and the situation goes from bad to worse.

Thursday, January 8: The freezing rain continues to fall. At Mirabel and Saint Hubert, the two weather-testing areas where precipitation is measured hourly, 42 and 65 mm, respectively, are recorded. A new record! At the same time, pylons are collapsing like dominos. Three 735-kilovolt lines in the "ring of power" that supplies the Greater Montreal area have fallen. Serious problems continue to emerge: powerful generators must be found to supply the hospitals and other essential services; roads are becoming impassable; there are fears of a fuel shortage; telephone service is beginning to falter; thousands of beds are needed

région métropolitaine. Des problèmes majeurs émergent de toutes parts : il faut trouver des génératrices de grande puissance pour alimenter les hôpitaux et autres services essentiels ; les routes deviennent impraticables ; on appréhende une pénurie de carburant ; les communications téléphoniques commencent à flancher ; on a besoin de milliers de lits de camp. À l'intérieur du « triangle de glace » formé par les villes de Saint-Hyacinthe, Granby et Saint-Jean, des villages se retrouvent complètement isolés du reste du monde : ils n'ont plus aucun accès routier praticable ni lien téléphonique, ni électricité. Aux grands maux, les grands remèdes : on décide de faire appel à l'armée. En attendant les renforts, plus de 1 300 équipes d'Hydro se battent en vain contre le monstre de glace. Bilan de la journée : un million de foyers sont privés d'électricité. Tous ceux qui bénéficient encore du courant passent des heures devant le petit écran. Car, contre vents et marées, les médias couvrent l'événement. Avec stupeur, on se demande souvent comment les cars de reportage réussissent à se frayer un chemin sur les routes glacées, au milieu des transformateurs qui explosent et des barrages de branches cassées.

in shelters. Within the "triangle of darkness" formed by the cities of Saint-Hyacinthe, Granby and Saint-Jean-sur-Richelieu, villages find themselves completely cut off from the rest of the world: no roads, telephones or electricity. Given the seriousness of the situation, the decision is made to call in the army. While waiting for reinforcements, more than 1,300 Hydro teams are battling the ice storm in vain. A wrap-up of the day's situation reveals a million households without electricity. People who still have power spend hours in front of the television because, despite the weather, the media is covering the event. We wonder how the news teams can make it through the icy roads, in the midst of exploding transformers and walls of broken branches.

Friday, January 9: The worst day of the crisis begins. Freezing rain accumulation hovers around the 100 mm mark in certain municipalities. There's no doubt now that every record has been shattered! There are fears of a total blackout on the island of Montreal. At noon, most downtown businesses are asked to close temporarily to save electricity. Water filtration plants shut down and there are fears of a shortage of drinking water. Two of the bridges linking the island of

Vendredi 9 janvier : La crise atteint son point culminant. Les précipitations frôlent les 100 mm dans certaines municipalités. Pas de doute, tous les records sont véritablement pulvérisés ! On craint un black-out total sur l'île de Montréal. À midi, la majorité des entreprises du centre-ville sont invitées à fermer leurs portes pour quelque temps afin d'économiser l'électricité. Les usines de filtration des eaux interrompent leurs activités et on redoute une pénurie d'eau potable. On interdit l'accès à deux ponts reliant l'île de Montréal à la Rive-Sud parce que des blocs de glace se détachent de la structure et se fracassent sur les automobiles. On ne compte plus le nombre de pylônes abattus qui gisent tels des géants terrassés. Trois autres lignes de 735 kilovolts sont ainsi mises knock-out. Il ne reste plus que deux lignes de 315 kilovolts pour desservir Montréal et la Rive-Sud. Hydro-Québec multiplie les opérations dites de « délestage » afin de répartir l'électricité qu'il reste de façon plus équitable. À la Sécurité publique, on doit faire face à un accroissement exponentiel des appels à l'aide. Dans les centres d'hébergement, on tente tant bien que mal de « faire contre mauvaise fortune bon cœur ». Les visages tirés, les campements improvisés et les repas souvent sommaires ne laissent aucun

Montreal to the South Shore are closed because blocks of ice are falling from the superstructure onto the cars below. Countless pylons have crumbled like fallen giants. Three other 735-kilovolt lines have been knocked out. All that is left are two 315-kilovolt lines to serve Montreal and the South Shore. Hydro-Québec begins load-shedding operations to distribute the remaining electricity a little more fairly. Civil-protection authorities have to deal with an exponential increase in calls for help. In the shelters, people try to make the best of a bad situation. Nonetheless, drawn faces, makeshift bedding and often perfunctory meals leave no doubt about prevailing conditions. The rain finally stops sometime during the evening, but the network has been weakened throughout. To make matters worse, pylons continue to fall by the hundreds throughout the night...

Saturday, January 10: The sun reappears and its harsh light seems to reveal more about the extent of the disaster: more than three million people are still without power. From now on, everything seems to be counted in millions... property damage, disaster victims, fallen trees, insurance compensation... While the disaster is now under control, an entire population

doute sur les conditions qui prévalent. La pluie cesse enfin au cours de la soirée, mais le réseau est affaibli sur toute la chaîne. Comble de malheur, tout au long de la nuit, les pylônes expirent encore par centaines...

Samedi 10 janvier : Le soleil réapparaît et sa lumière crue révèle l'ampleur du désastre : plus de 1,4 million de pannes affectent environ 3 millions de personnes. Désormais, et pour un bon bout de temps, tout se chiffrera en termes de millions... les dommages matériels, les sinistrés, les arbres abattus, les réclamations aux assureurs... Bien sûr, le cataclysme est circonscrit, mais tout un peuple est encore emmuré dans le verglas et il faudra des semaines pour l'en déloger. Il faudra des semaines pour tout réparer, nettoyer, élaguer, remplacer, reconstruire, consoler, guérir... Ce n'est que vers le 16 février qu'on pourra déclarer le monstre de glace définitivement vaincu. Un cataclysme qu'on n'est pas près d'oublier !

La rédaction

remains walled in by the freezing rain, and it will take weeks to repair, clean, clear, replace, rebuild, comfort, heal... In fact, it is not until February 16th that the ice storm is finally officially over. This is one disaster that will not soon be forgotten!

The editors

Casse-tête pour météorologues

Du 5 au 10 janvier 1998, un phénomène météorologique sans précédent affecte tout le sud du Québec. La zone touchée se déploie du sud-est de l'Ontario jusqu'à l'Île-du-Prince-Édouard et entraîne les conséquences dramatiques que l'on connaît : le verglas fracasse arbres et pylônes et prive d'électricité plus de 3 millions de personnes.

Dès le dimanche 4 janvier, le portrait de la semaine se dessine. Une circulation d'air chaud et humide provenant directement du golfe du Mexique laisse entrevoir des quantités impressionnantes de précipitations. Dans nos régions, les températures glissent près du point de congélation, mais il est encore trop tôt pour dire si les précipitations vont tomber sous forme de pluie ou de neige. À court terme, on prévoit alors du verglas se changeant en pluie.

Lundi, on reçoit un peu de tout : neige, grésil et verglas. Mardi, la situation se précise. Des vents de surface du nord-est vont prédominer au cours des prochains jours. Dans le contexte, ces vents laissent présager que le verglas va l'emporter sur la pluie. Je me souviens fort bien des prévisions :

A Puzzle for Meteorologists

From January 5 to 10, 1998, all of southern Quebec was immobilized by an unprecedented meteorological phenomenon. The dramatic consequences of the ice storm were felt from southeastern Ontario to Prince Edward Island: trees and pylons toppled by freezing rain, leaving more than three million people without electricity.

By Sunday, January 4, a picture of the week was taking shape. A mass of warm humid air moving directly from the Gulf of Mexico pointed to the possibility of vast amounts of precipitation for the entire week. In our regions, as temperatures slid close to the freezing point, it was still too early to predict whether the precipitation would fall as rain or snow. Our short-term forecast was for freezing rain, turning to rain.

On Monday, we got a little bit of everything: snow, ice pellets and freezing rain. By Tuesday, the situation had become clearer. Surface winds from the northeast would prevail for the next few days. This meant that freezing rain would fall instead of rain. I remember the forecasts very clearly: about 25 mm of freezing rain through

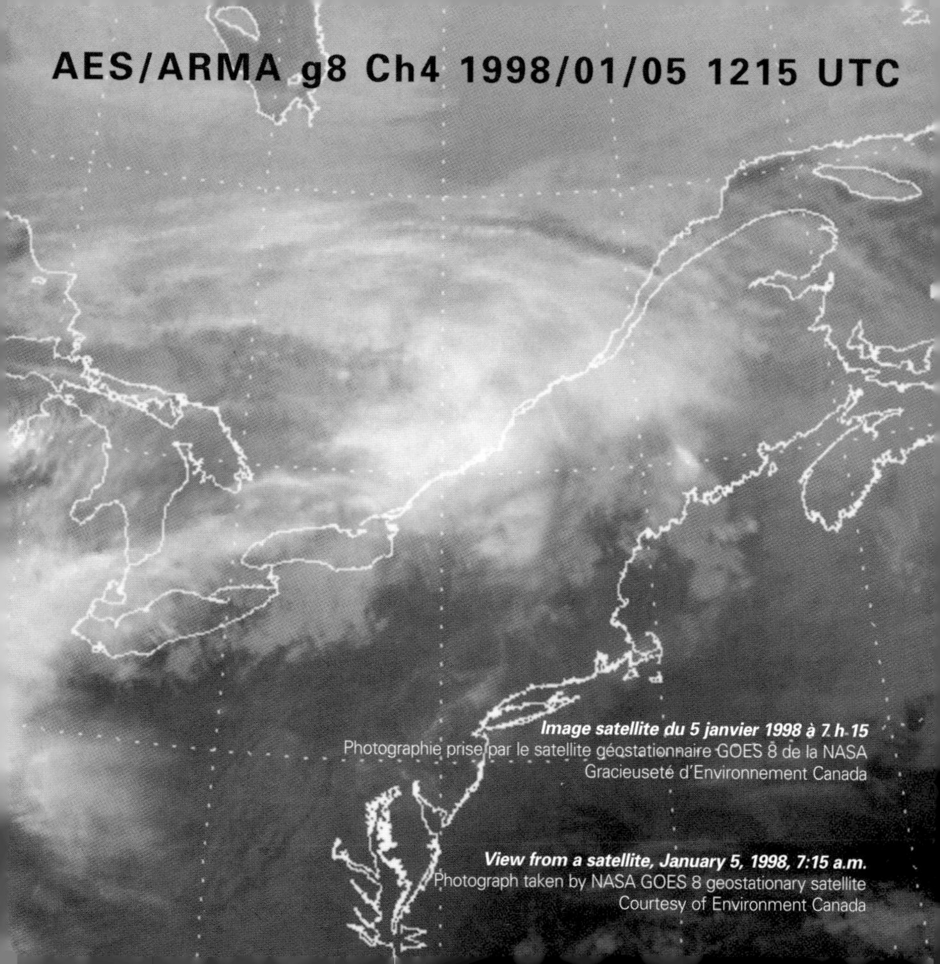

AES/ARMA g8 Ch4 1998/01/05 1215 UTC

Image satellite du 5 janvier 1998 à 7 h 15
Photographie prise par le satellite géostationnaire GOES 8 de la NASA
Gracieuseté d'Environnement Canada

View from a satellite, January 5, 1998, 7:15 a.m.
Photograph taken by NASA GOES 8 geostationary satellite
Courtesy of Environment Canada

environ 25 mm de verglas pour la nuit de mardi à mercredi, environ 10 mm pour jeudi et probablement de 10 à 15 mm supplémentaires pour vendredi. En fait, les systèmes dépressionnaires que nous attendions ont été plus forts que prévu. Les précipitations ont ainsi atteint environ 100 mm dans certains secteurs, soit le double de ce qui était attendu. Pour couronner le tout, des orages se sont abattus le vendredi !

Le ciel nous était littéralement tombé sur la tête. Comment cela est-il arrivé ? Essayons de comprendre le phénomène. La conjonction de plusieurs facteurs est nécessaire pour créer du verglas. Ce dernier se présente lorsqu'une zone d'air chaud s'infiltre entre deux zones d'air froid. Les précipitations tombent alors sous forme de pluie ou de neige qui fond en traversant la zone d'air chaud. Lorsqu'elle atteint le sol, dans la zone froide, la pluie gèle et recouvre ainsi tous les objets d'une surface verglacée.

Comme la zone d'air chaud provenait du Mexique, on a attribué la tempête à *El Niño*. Qu'en est-il exactement ? Est-ce lui le grand responsable ? À mon avis, *El Niño* n'est qu'un des multiples éléments météorologiques qui ont contribué à la formation de la tempête. Bien sûr, *El Niño* crée des chambardements propices à toutes sortes de

Tuesday night and into Wednesday, about 10 mm for Thursday, and probably another 10 to 15 mm on Friday. In fact, the low-pressure systems we had been expecting were stronger than anticipated. Certain areas received an accumulation of about 100 mm, in other words, twice the amount we had expected. And to top it all off, there were thunderstorms on Friday!

The sky was literally falling around us. How did all this happen? Let's try to understand the phenomenon. A number of factors have to coincide to produce freezing rain. It occurs when a mass of warm air is trapped between two areas of cold air. The precipitation falls either as rain or as snow, which melts as it falls through the warm air. When the rain reaches the ground, where the air is cold, it freezes, coating every surface with ice.

Since the warm air mass came from Mexico, the storm has been attributed to El Niño. But how was it involved? Was El Niño really responsible?
In my opinion, El Niño is just one of the many meteorological factors that contributed to the storm. Of course, El Niño creates a lot of weather disturbances. But, in the past, El Niño-related events have not caused any ice storms. We could have had all the

perturbations. Mais, dans le passé, les manifestations de « l'enfant Jésus » n'ont pas causé de tempête de verglas. Nous aurions pu avoir des précipitations de verglas importantes même en l'absence d'*El Niño*. En fait, tout ce qu'on peut conclure, c'est que nous avons été victimes d'un ensemble de facteurs défavorables. Le casse-tête garde donc son mystère...

Si l'on jette un coup d'œil sur les statistiques, on constate que le plus récent record pour le sud du Québec remonte à février 1961 : on avait alors reçu 37 mm de verglas. Au cours des dernières décennies, on a aussi observé des précipitations verglaçantes allant jusqu'à 70 mm sur la Côte-Nord. Avec un total atteignant 100 mm dans certaines municipalités, je crois que la tempête de janvier 1998 constituera pour longtemps le nouveau record. Du moins, souhaitons-le !

Pierre Dionne
Météorologue
MétéoMédia

freezing rain without El Niño. In fact, the only thing we can conclude with any certainty is that we were victims of a series of unfortunate events. The puzzle remains to be solved...

If we look at the statistics, we can see that the record for southern Quebec dates back to February 1961, when 37 mm of freezing rain fell. In the past few decades, the North Shore has received up to 70 mm of freezing rain. But with a total of up to 100 mm in some municipalities, I think that the January 1998 ice storm will hold the new record for quite some time. At least I hope so!

Pierre Dionne
Meteorologist
MétéoMédia

Zoom sur le verglas

Janvier 1998. La nature nous réserve une cinglante surprise. Toute une société se retrouve figée dans une carapace glacée. Au-delà du drame, le phénomène ouvre des perspectives renversantes. À tout le moins pour l'œil d'un photographe... parce que des sujets à photographier, il y en a à revendre !

Le calme revenu, j'ai été invité à collaborer à l'organisation d'un concours photo. L'intérêt de l'aventure me semblait évident et le concours se démarquait pour plusieurs raisons. Tout d'abord, contrairement à la majorité des compétitions, qui sont axées sur des circonstances actuelles ou à venir, celui-ci portait sur un événement déjà vécu. Ensuite, il ne visait rien de moins qu'une rétrospective digne de passer à l'histoire. L'enjeu était de taille ! Et la réaction ne s'est pas fait attendre. Nous avons reçu près de 4 000 photographies de professionnels comme d'amateurs, d'hommes, de femmes, d'enfants et même d'un honorable patriarche de 86 ans. Sans conteste, la qualité était au rendez-vous.

À plus d'un titre, la collection s'avère remarquable. On y trouve des points de vue saisissants, des instantanés d'une

Zoom on the Ice Storm

January 1998. Nature had a harsh surprise in store for us. An entire society found itself encased in ice. Aside from the drama of the situation, incredible perspectives were opened. For the photographer, at least, the possibilities were endless!

Once life returned to normal, my friend Marcel Renaud mentioned his idea of organizing a photography contest. Of course, I was interested. The contest struck me as being different in several ways. First, unlike most contests which are based on ongoing or future situations, this one focused on an event that had already occurred. Second, its objective was to produce a retrospective worthy of being handed down to future generations. This was indeed a major challenge, but the reaction was quick in coming. We received nearly 4,000 photos from both professional and amateur photographers, from men, women, children and even a venerable 86-year-old patriarch. Without a doubt, the quality was exceptional.

On several accounts, the collection is remarkable. It includes striking points of view, snapshots that are exceptionally true to life, graphic compositions

criante vérité, des compositions graphiques à faire rêver les photographes les plus avertis.

L'album qu'on en a tiré constitue une rétrospective éloquente de la tempête. On a l'impression de revivre les choses de l'intérieur. Toutes ces images nous proposent une sorte de synthèse : on y aperçoit les multiples facettes d'une société qui est littéralement en train de se redécouvrir. Au fil des pages, c'est la silhouette d'un peuple grandi qui surgit. Je félicite chaleureusement toutes les personnes qui nous ont envoyé leurs photos et qui nous font bénéficier de leurs trouvailles. Je suis heureux que cette publication leur offre une forme de reconnaissance. Je dis « bravo » à Marcel Renaud et à toute son équipe. Et je vous laisse savourer ce recueil où l'émotion rivalise avec la magie de l'art.

Jacques Nadeau
Photographe de presse

that would impress even the most experienced of photographers.

The album that we have produced is a powerful retrospective of the ice storm. The impression it gives is one of reliving the event as a participant. All of these images, taken together, provide a sort of synthesis, illustrating the many facets of a society that is literally rediscovering itself. As we turn the pages, we see a people come to life. I would like to take this opportunity to congratulate all those who sent us their photographs and shared their discoveries with us. I am very pleased that this publication has offered them a form of recognition. I would also like to applaud Marcel Renaud and his entire team. And now, I leave you to enjoy the emotion and artistic magic of this collection.

Jacques Nadeau
News photographer

Immobile, **Sainte-Julie**
Martin Laprise, Laval

Bernard Brault, *La Presse*

***Le fantôme de glace,* Montréal**
Benoît Aquin, Montréal

Bienvenue soleil, **Saint-Hyacinthe**
Charles Morier, Saint-Hyacinthe

Si près si loin, **Saint-Hyacinthe**
Charles Morier, Saint-Hyacinthe

La 5e Avenue, **Montréal**
Jean-Claude Béhar, Montréal

Martin Chamberland, *La Presse*

***Banc d'essai*, Saint-Césaire**
Josée Guertin, Saint-Césaire

Le hibou du verglas, **Montréal**

Mario Beaudet, Montréal

John Londono, Sainte-Angèle-de-Monnoir

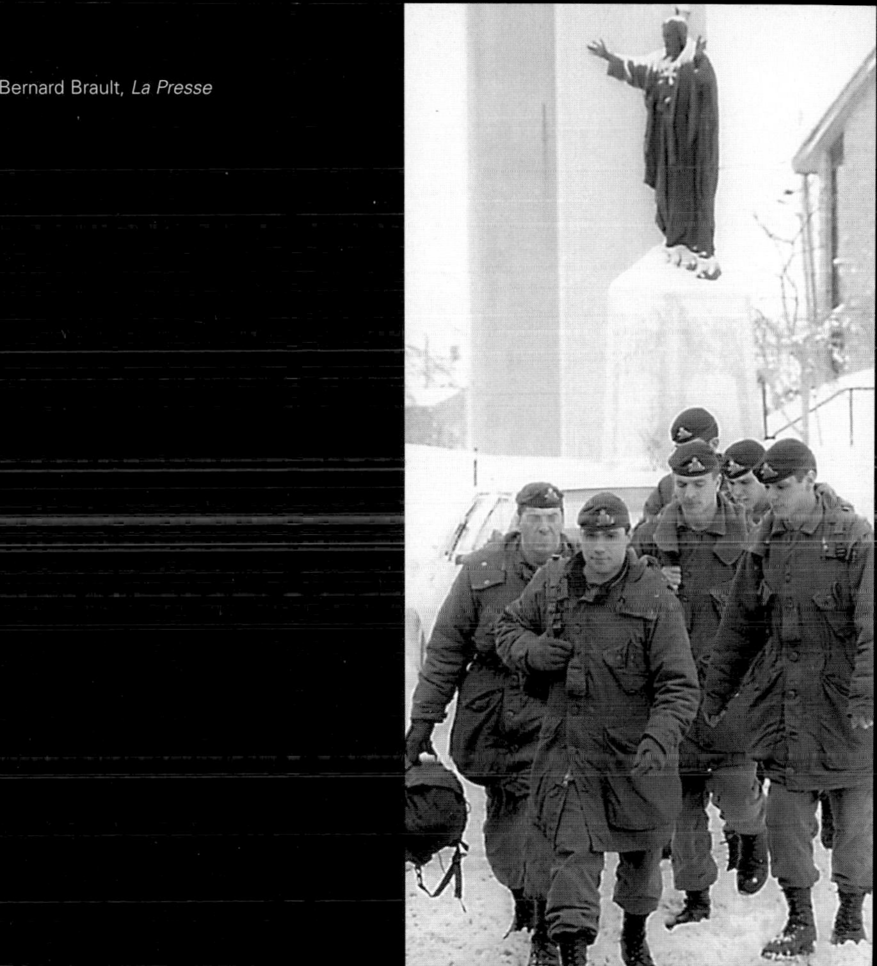

Bernard Brault, *La Presse*

◀ ***Tunnel de glace,*** **Montréal**
Marguerite Lafontaine, Anjou

▶
Léa la conquérante, **Montréal**
Claire Barro, Montréal

Alain Comtois, Montréal

Tombent, **Montréal**
Jocelyn Lanouette, Montréal

***La glace invincible,* South Mountain**

Steve Bossel, South Mountain

« Au-delà du gâchis, au delà des pertes humaines à jamais irremplaçables, l'entraide et l'amitié enjolivent nos pensées et nos cœurs. L'artiste, lui, jette un regard magique sur le passé et le présent. Il sculpte une matière et en tire des symboles. Mais la vraie beauté dans tout cela, c'est la nature qui nous fait vivre des émotions si fortes, et qui poursuit sa route, imperturbable... »

"Beyond the devastation, beyond the human, irreplaceable losses, mutual aid and friendship grace our thoughts and hearts. Artists are able to look back at the past and at the present with a magical perspective. They sculpt the subject and draw symbols from it. But the real beauty in all this is nature, which makes us experience such intense emotions, and then goes on its way, undisturbed..."

Louise Hélène Gagné, Brossard

Montréal
Alain Comtois, Montréal

***Dans la nuit verglacée,* Montréal**
Benoit Aquin, Montréal

Une journée à la plage avec ma blonde, **Montréal**
Normand Jolicœur, Montréal

1 ***Signal de glace,*** **Farnham**
Michel St-Jean, Granby

2 ***Le temps gelé et écoulé,*** **Montréal**
Marc-Éric Babin, Mascouche

3 Rémi Lemée, *La Presse*

4 ***I got one,*** **La Prairie**
Stan Komorowski, Brossard

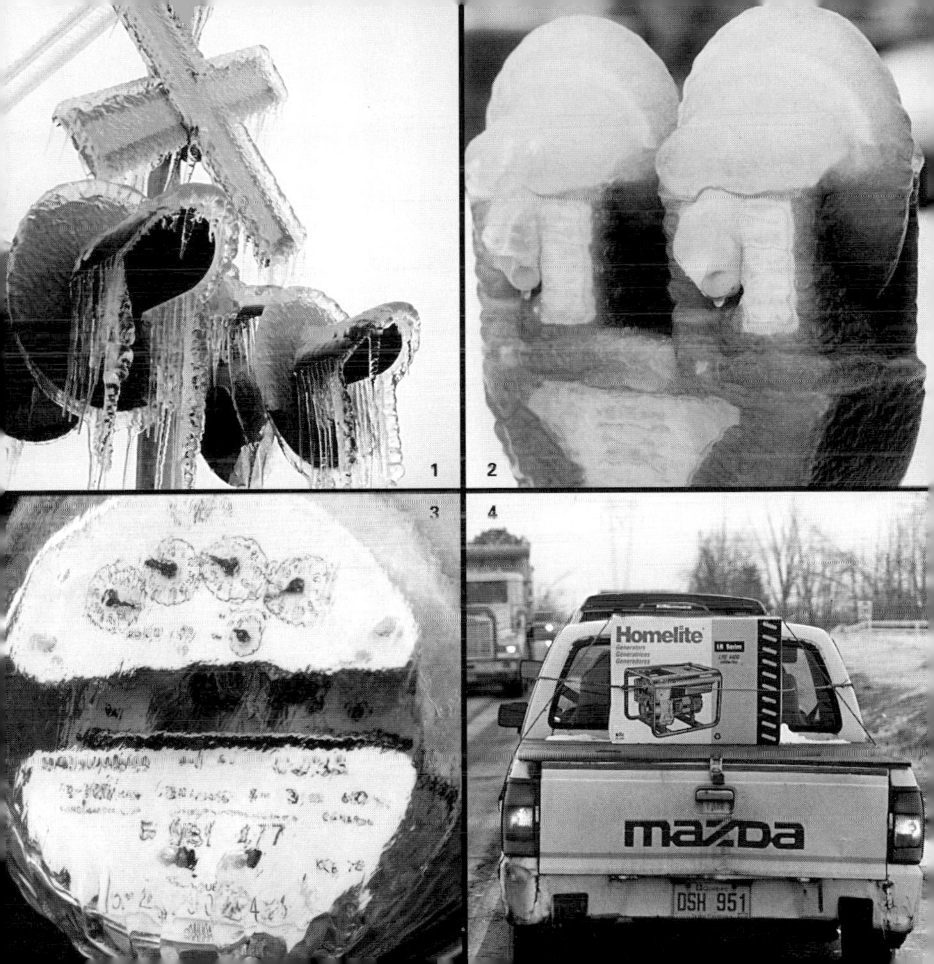
1
2
3
4
Homelite
Generators
Génératrices
Generadores
mazda
DSH 951

***Boule de neige*, Montréal**
Marguerite Lafontaine, Montréal

Mont-Royal janvier '98
David Kopytko, Montréal

Attention Gaston ! **Saint-Hilaire**
Monique Bernard-Dallaire, Saint-Hilaire

L'après verglas, **Longueuil**
Pierre Borz, Longueuil

***La Béquille,* Montréal**
Yvon Monette, Montréal

Verglas : forces majeures, **Saint-Luc**
Jeannot Fournier, Sainte-Julie

Laissez passer ! **Montréal**
Yvon Monette, Montréal

***Trio,* Montréal**
Yvon Monette, Mo

***Frigoluminescence*, Saint-Blaise**
Jacques D'Aragon, Saint-Blaise

Le temps des cerises, **Granby**
Alain Dion, Granby

***Opération nettoyage,* Montréal**
Valérie Remise, Outremont

La file électrique, **Granby**
Alain Dion, Granby

***À la mémoire de...,* Montréal**
Guy Mercier, Montréal

Ça fait peur ! **Saint-Césaire**
Alain Dion, Granby

Tu diras à ma femme de ne pas m'attendre pour souper
Varennes
Claude Fecteau, Boucherville

Highway tower, **Candiac**
Stan Komorowski, Brossard

***No beer today,* Saint-Luc**
Stan Komorowski, Brossard

Mon amie soldat, **Granby**
Michel St-Jean, Granby

Sylvain Malette, Montréal

***La ration de bois,* Montréal**
Denis Bérubé, Montréal

Les combattants du verglas, **Montréal**
Guy Mercier, Montréal

***Help !* Farnham**
Stan Komorowski, Brossard

Robert Nadon, *La Presse*

***Les emplettes,* Montréal**
Yvon Monette, Montréal

***Sauve qui peut,* Montréal**
Jean-Marc Charbonneau, Montréal

ARRET

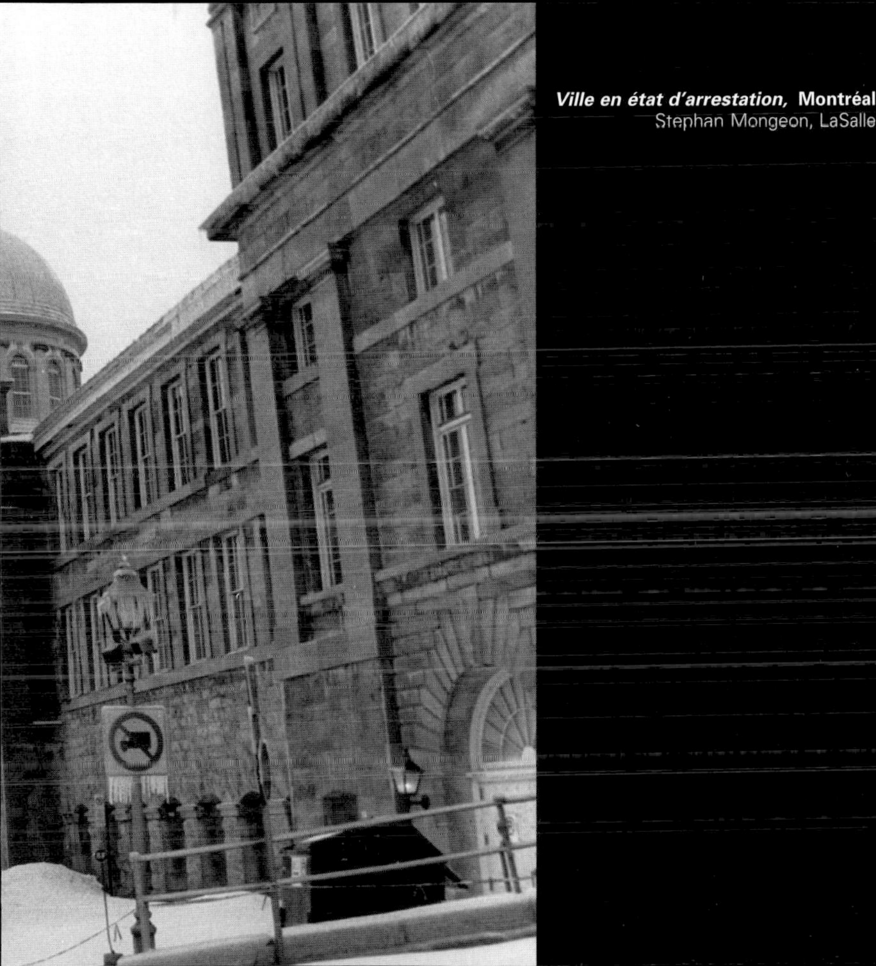

Ville en état d'arrestation, **Montréal**
Stephan Mongeon, LaSalle

***Dame nature de glace,* Verdun**
Michel Cusson, Verdun

***Interview*, Saint-Hyacinthe**
Paul Bernard, Saint-Hyacinthe

***Abribus givré,* Boucherville**
Jean-Jacques Hubert, Laval

Les belles nacelles, **Saint-Jean-Baptiste**
Gilbert Samson, Otterburn Park

***Parc aux feuilles de glace,* Montréal**
David Cormier, Montréal

***Splendeur givrée,* Montréal**
Raymonde St-Germain, Montréal

Ballade sous la glace, **Île-des-Sœurs**
Daniel Brunet, Maple-Grove

Bernard Lambert, Saint-Basile-le-Grand

Vendredi noir, **Montréal**
Pierre Malo, Montréal

***Temps d'arrêt,* Montréal**
Gisèle Comtois, Montréal

« Vendredi 9 janvier, au plus fort de la tempête, j'ose aller me promener dans la ville déserte, la gorge serrée par toute cette désolation. Arrivée au parc, le cœur me chavire... Tous ces beaux arbres qui ont été témoins de tant de choses... les rires, les jeux des enfants, les confidences, les chuchotements amoureux, les larmes... tous ces beaux arbres pleurent à leur tour, blessés, brisés. »

"Friday, January 9: at the height of the storm, I dare to go out and walk through the deserted city, a lump in my throat at the sight of this desolation. I reach the park, and my heart skips a beat... All those beautiful trees that had witnessed so much... laughter, children's games, secrets, lovers' whispers, tears... all those beautiful trees weeping, wounded, broken."

Johanne Simard, Granby

Verglas à l'horizon, **Lachine**
François Guindon, LaSalle

Mise à la terre, **Boucherville**
Benoit Aquin, Montréal

***Scrap*, Saint-Jean-sur-Richelieu**
Stan Komorowski, Brossard

Ouch, **Candiac**
Stan Komorowski, Brossard

Échafaudage de forture sur la 20

Bernard Lambert, Saint-Basile-le-Grand

***Avenue Mc Culloch,* Outremont**
André Labelle, Outremont

Jacques Nadeau

***Féerie de glace,* Saint-Hyacinthe**
Sylvain Corbeil, Saint-Hyacinthe

Vaincu par le verglas,
Saint-Mathieu-de-Belœil
Bernard Lambert,
Saint-Basile-le-Grand

Bernard Brault, *La Presse*

Pierre-Paul Poulin, Montréal

Gentil bûcheron, **Saint-Lazare**
Jasmine Ellemo, Saint-Lazare

Forces armées canadiennes
Canadian Armed Forces

Julien Saucier, Montréal

Lumière de glace
Christine Girard, Montréal

Coupez ! **Farnham**
Michel St-Jean, Granby

Hommes de cœur…, **Saint-Hyacinthe**
Pierre-Paul Poulin, Montréal

***Hangman*, Saint-Césaire**
Stan Komorowski, Brossard

Vois-je double ? **Belœil**
Rosalie Hamelin, Belœil

***Le petit bois,* Montréal**

Yvon Monette, Montréal

En panne ? **Farnham**
Ivanoh Demers, Montréal

La belle province, **Iberville**
Ivanoh Demers, Montréal

Alain Comtois, Montréal

***The day after,* Varennes**
Marc L. Dallaire, Varennes

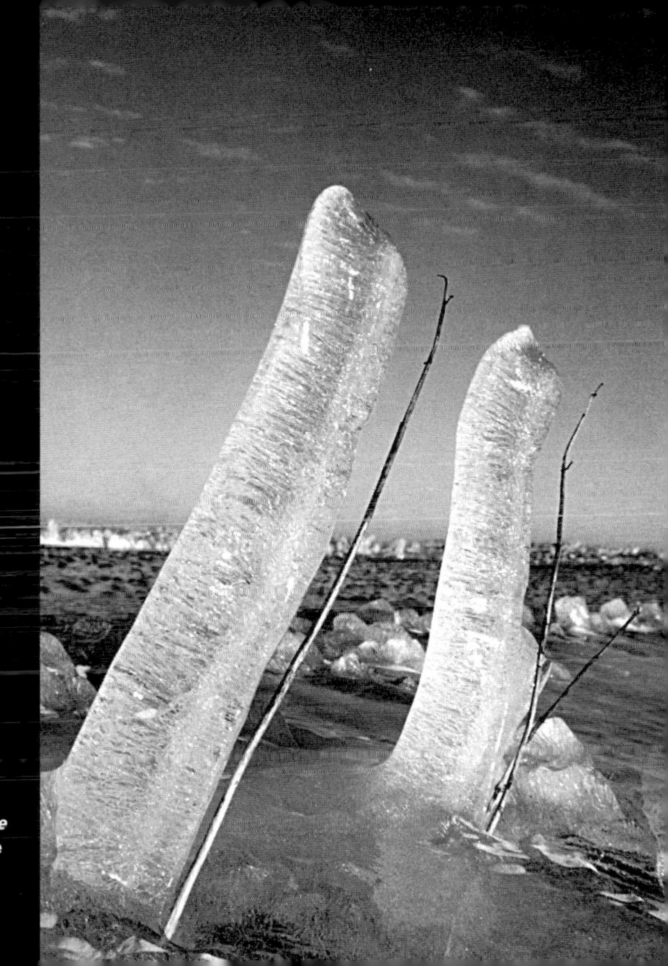

Période glaciaire
Saint-Alexandre
Claude Fecteau,
Boucherville

***Le spectacle,* Longueuil**
Valérie Brunet, Longueuil

Désespoir, **Longueuil**
Valérie Brunet, Longueuil

Martin Chamberland, *La Presse*

***Ice Storm-Pyramids,* Montréal**
Linda Rutenberg, Montréal

Black-out, **Montréal**
Louis Pietrusiak, Montréal

***Fallen Manger,* Montréal**
Linda Hammond, Montréal

Sinistrés en Montérégie

Jacques Nadeau

***Un saule pleureur à La Prairie*, La Prairie**
Lisette Grégoire, Montréal

Le gyrophare de Rosemont, **Montréal**
Pierre Malo, Montréal

***Downtown*, Montréal**
Ronald Bowitsch, Montréal

Immobilisé
Jean-François Grégoire, Montréal

Icewine
Saint-Jean-sur-Richelieu
Daniel Benoit, Longueuil

***Bicyclette*, Saint-Hyacinthe**
André Coulombe, Saint-Hyacinthe

Débrouillardise
Saint-Mathieu-de-Belœil
Roger Brouard, Saint-Mathieu-de-Belœil

◀ ***Côté cour,*** **Montréal**
Guy Mercier, Montréal

Sylvain Glorieux, Montréal ▶

Vitalie Perreault, Montréal

***La peine de Dieu,* Belœil**
Guylaine Proulx, Belœil

1
2
3
HEINZ
B·B·Q
BICKS
C'est l'enfer !
Encore du verglas

1 ***Frozen out,*** **Dollard-des-Ormeaux**
Angelika Furtado, Dollard-des-Ormeaux

4 Bernard Brault, *La Presse*

2 ***Frigoh !*** **La Prairie**
Richard Leclerc, La Prairie

3 ***C'est l'enfer !*** **Gatineau**
Christine Roy, Gatineau

***Centre-ville,* Montréal**
Jocelyn Lanouette, Montréal

Désolation, **Saint-Césaire**
Josée Guertin, Saint-Césaire

Les arbres hurlent à la lune
Montréal
Virginie Le Galès, Montréal

***Triste beauté,* Montréal**
Le pied bot, Montréal

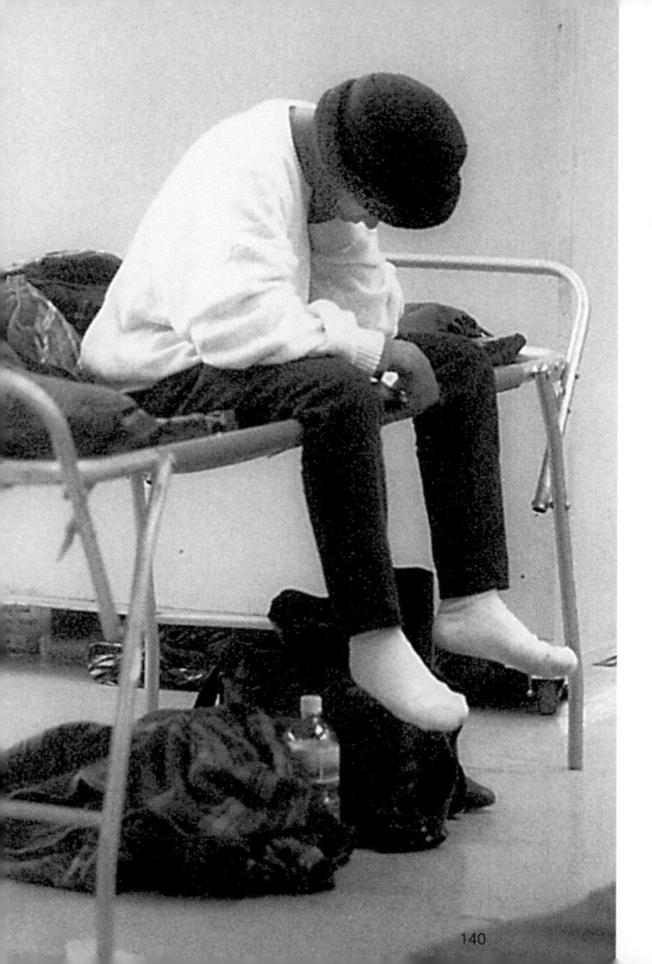

Bernard Brault, *La Presse*

Bernard Brault, *La Presse*

Jareda Guillermo, Montréal

***Patience !* Montréal**
Yvon Monette, Montréal

1 ***Inquétudes,*** **Montréal**
Alain Beaupré, Montréal

2 ***Sueurs froides,*** **Montréal**
Alain Beaupré, Montréal

3 ***La mouette rieuse,*** **Montréal**
Gisèle Comtois, Montréal

4 ***Québec sous la glace,*** **Montréal**
Nathalie Zinger, Montréal

2
3
4

◀ ***Un cardinal inquiet,* Hull**
Marilyn Verge, Hull

Épinettes dinosaure ▶
Saint-Basile-le-Grand
Bernard Guèvremont,
Saint-Basile-le-Grand

***Perdu dans le triangle de glace,* entre Saint-Jean-sur-Richelieu et Sainte-Hyacinte**
Marguerite Lafontaine, Anjou

Ice house 2, **Farnham**
Stan Komorowski, Brossard

***Campus McGill,* Montréal**
Denise Déziel, Montréal

Vue du Mont-Royal, **Montréal**
David Kopytko, Montréal

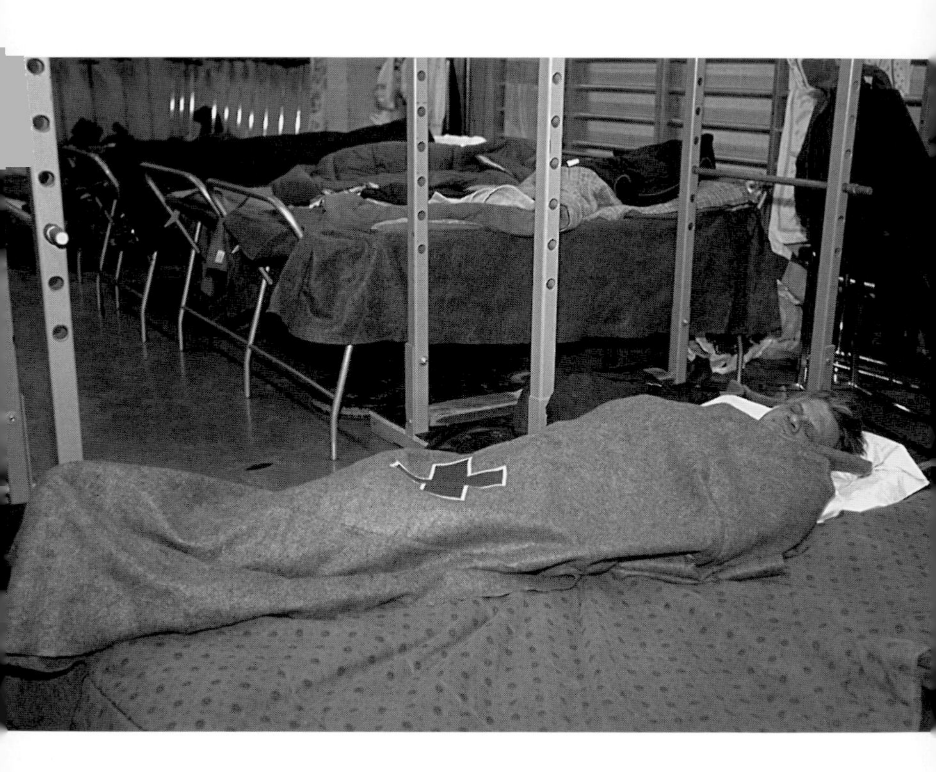

Pierre-Paul Poulin, Montréal

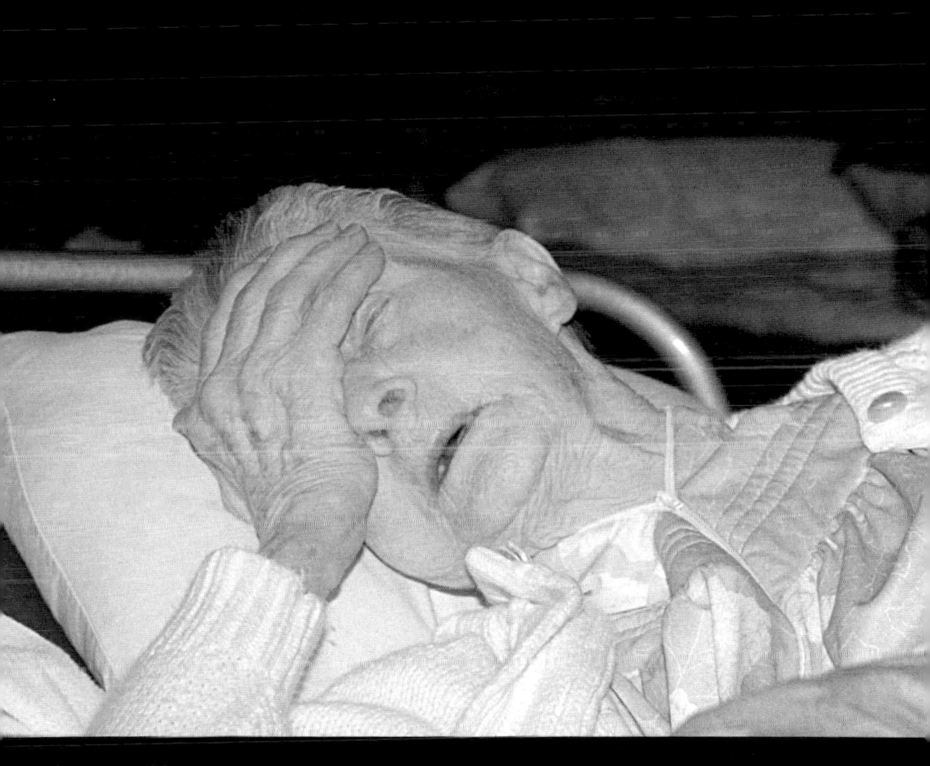

Insupportable attente
Valérie Remise, Outremont

Stationnement Parc Mont-Royal, **Montréal**
Linda Rutenberg, Montréal

Julien Saucier, Montréal

Mort glaciale, **Casselman**
Pierre-Paul Poulin, Montréal

Forces armées canadiennes
Canadian Armed Forces

***Triangle noir*, Granby**

Alain Dion, Granby

***Forêt cristalline*, Hull**
Marilyn Verge, Hull

Poteau de Damoclès
Farnham
Michel St-Jean,
Granby

1re MENTION

1st HONOURABLE MENTION

Ce paysage en désordre, dominé par une tête de poteau électrique en suspension, témoigne éloquemment de la fragilité de notre environnement.

This chaotic scene, dominated by the suspended top of a power transmission pole, is persuasive evidence of the fragility of our environment.

Martin Chamberland, *La Presse*

Pierre-Paul Poulin, Montréal

GAILURO'S
LAIT
MILK

Martin Chamberland, *La Presse*

Martin Chamberland, *La Presse*

Forces armées canadiennes
Canadian Armed Forces

Martin Lemire, Montréal

3e PRIX
3rd PRIZE

Beaucoup de dynamisme dans cette composition en diagonale. La contre-plongée amplifie l'effort des travailleurs. Avec éloquence, cet instantané nous rappelle que l'entraide et la solidarité étaient au rendez-vous.

There is a great deal of energy in this diagonal composition. The low-angle shot magnifies the exertion of the workers. This snapshot is an eloquent reminder of mutual aid and solidarity during the ice storm.

Droit de parole, **Montréal**
Valérie Remise, Outremont

C'était le mardi 6 janvier '98, **Montréal**
Miroslav Ménard, Montréal

Et le ciel nous est tombé sur la tête ! Montréal
Alain Beaupré, Montréal

L'Église de l'avenue Mont-Royal, **Montréal**
Esther Lacaille, Montréal

***McGill Campus*, Montréal**

Ronald Bowitsh, Montréal

Une autre semaine dans le noir, **Valleyfield**
Pierre-Paul Poulin, Montréal

Beauté et amour figés
Montréal
Alain Beaupré, Montréal

***La petite maison de Sainte-Angèle,* Sainte-Angèle-de-Monnoir**
Benoit Aquin, Montréal

***Parc Baldwin,* Montréal**
Karl-Emmanuel Hamelin, Montréal

Alain Comtois, Montréal

***La panique,* Montréal**
Johanne Hémond, Montréal

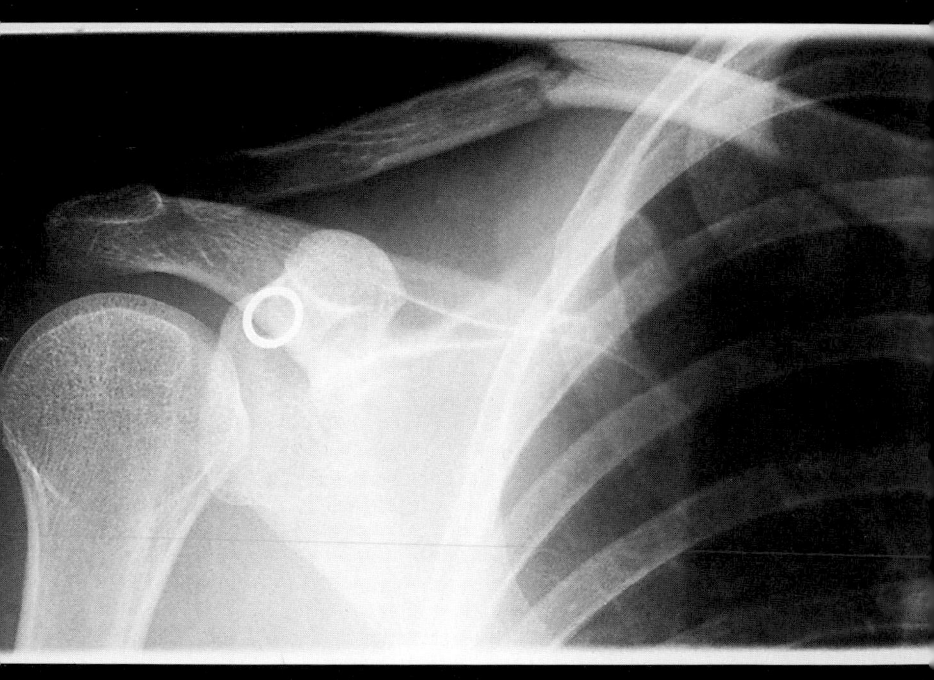

Fracture
Clavicule de Jennifer Alleyn, Montréal
Clavicle from Jennifer Alleyn, Montreal

***Le monstre du verglas,* Saint-Jean-sur-Richelieu**
Stéphanie Lachance, Saint-Jean-sur-Richelieu

***Transport en commun*, Montréal**
Pierre-Paul Poulin, Montréal

Forces armées canadiennes
Canadian Armed Forces

Pas de téléphone ici, **Saint-Luc**
Stan Komorowski, Brossard

Plus rien d'équerre, **Saint-Jean-sur-Richelieu**
Lynn Fournier, Saint-Laurent

Gilles Proulx

***Oratoire Saint-Joseph,* Montréal**
David Kopytko, Montréal

Mont-Royal janvier '98
Montréal
David Kopytko, Montréal

***Soins d'urgence*, Montréal**
L. Djiwa, Montréal

Gilles Proulx

2e PRIX
2nd PRIZE

***Un monde de glace,* Saint-Césaire**
Gérard Campeau, Saint-Césaire

Élégant contraste, ici, entre une composition qui mise sur des formes douces et le caractère éprouvant de la tâche. La scène est typique : devant l'ampleur du désastre, des milliers de gens ont décidé de faire « contre mauvaise fortune bon cœur ».

An elegant contrast between a composition based on smooth shapes and the arduous nature of the job. The scene is a typical one: when faced with the scope of the disaster, thousands of people decided to make the best of a bad situation.

Martin Chambe

Martin Chamberland, *La Presse*

Le verglas en chiffres

Appels à l'aide Plus de 42 000 appels reçus au 1-800-636-AIDE.
Arbres Environ 1 700 000 d'hectares de forêt endommagés.
Assurances Plus de 550 000 réclamations totalisant près de un milliard de dollars.
Bénévoles Plus de 2 000 bénévoles de la Croix-Rouge sur le terrain.
Bois de chauffage Jusqu'à 7 000 cordes de bois distribuées par jour.
Bougies Plus de 45 000 bougies distribuées.
Chèques 900 000 chèques d'aide financière distribués.
Communiqués Plus de 2 200 communiqués de presse émis par les autorités.
Débranchés Jusqu'à 1 400 000 clients d'Hydro-Québec privés d'électricité.
Décès 27 décès reliés au verglas et aux pannes d'électricité.
Fermes Plus de 17 000 exploitations agricoles affectées.
Génératrices Environ 1 200 génératrices fournies pour parer aux besoins prioritaires.
Hébergement Plus de 450 centres d'hébergement mis sur pied.
Lait Environ 3 312 600 litres de lait jetés.
Lits Plus de 130 000 lits mis à la disposition des sinistrés.
Militaires Plus de 10 000 soldats affectés à diverses opérations.
Missions aériennes Plus de 100 opérations aériennes réalisées.
Nourriture Plus de 3 500 tonnes de vivres distribuées.
Offres d'hébergement Environ 8 560 offres visant à accommoder 86 000 personnes.
Piles Environ 10 000 piles fournies par la Sécurité publique.
Policiers Plus de 5 000 agents affectés aux tournées de sécurité.
Poteaux Plus de 16 000 poteaux de bois endommagés.
Pylônes Plus de 3 000 pylônes endommagés.
Repas Plus de 60 000 repas servis quotidiennement dans les centres d'hébergement.
Sauvetage Plus de 1 000 personnes évacuées.
Sécurité Plus de 200 000 foyers visités par les autorités civiles et militaires.
Sel Environ 250 tonnes de sel fournies par la Sécurité publique.
Surveillance Environ 170 personnes incitées à quitter leur domicile.
Téléphonie Plus de 158 500 interruptions de services téléphoniques.
Villes et villages 700 municipalités touchées.
Volailles Environ 150 000 pertes de volailles.

Ice storm facts and figures

Air missions More than 100 air missions flown.
Batteries About 10,000 batteries supplied by the Public Security Department.
Beds More than 130,000 beds provided for ice storm "refugees."
Calls for help More than 42,000 calls made to 1-800-636-AIDE.
Candles More than 15,000 candles distributed.
Cities and towns 700 municipalities affected.
Deaths 27 deaths directly related to the ice storm.
Farms More than 17,000 farms affected.
Firewood Up to 7,000 cords of wood distributed each day.
Food More than 3,500 tonnes of provisions distributed.
Generators Approximately 1,200 generators supplied to meet priority needs.
Insurance More than 550,000 claims made in Quebec, for a total of nearly $1 billion.
Meals More than 60,000 meals a day served in shelters.
Milk Approximately 3,312,600 litres of milk discarded.
Money 900,000 cheques in government compensation distributed.
Offers of shelter About 8,560 offers received, to accommodate 86,000 people.
Poles More than 16,000 wooden poles damaged.
Police More than 5,000 officers assigned to safety patrols.
Poultry Approximately 150,000 birds lost.
Press releases More than 2,200 press releases issued by the Public Security Department.
Pylons More than 3,000 pylons downed or irreparably damaged.
Relocation More than 1,000 people evacuated.
Salt Approximately 250 tonnes of salt supplied by the Public Security Department.
Security More than 200,000 homes visited by civil and military personnel.
Shelters More than 450 shelters set up.
Soldiers More than 10,000 soldiers assigned to various operations.
Surveillance About 170 people urged to leave their homes.
Telephones Telephone service cut off to more than 158,500 customers.
Trees Approximately 1.7 million hectares of forest damaged.
Unplugged Up to 1.4 million Hydro-Québec customers without power.
Volunteers More than 2,000 volunteers working for the Red Cross.

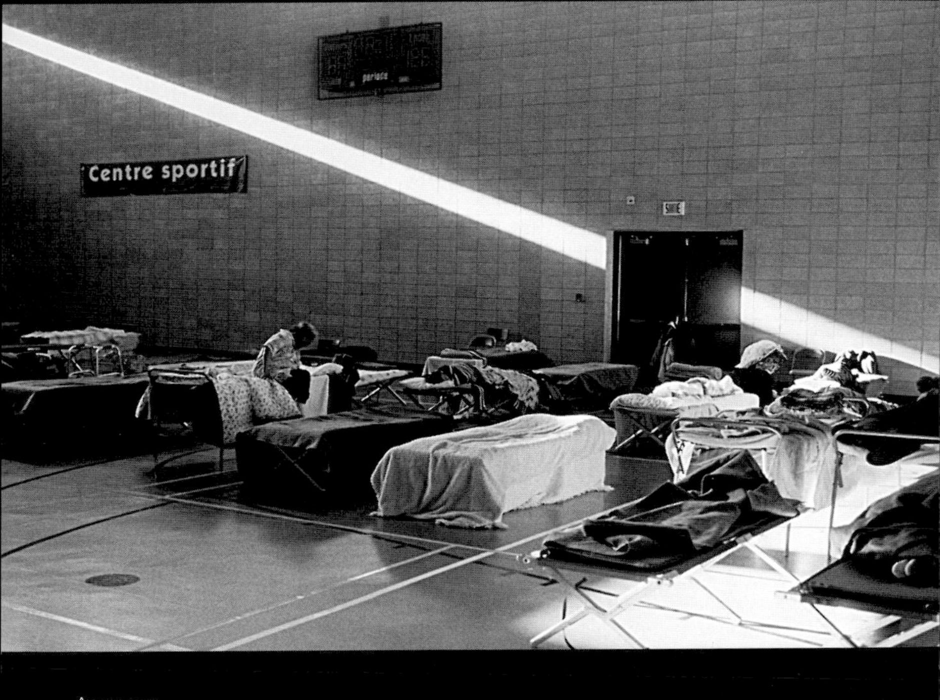

Anonyme
Anonymous

Le don d'être là en temps de paix comme en période de tumulte

En janvier dernier, la tempête de verglas mettait une population entière à l'épreuve. La Croix-Rouge était au poste, et je crois qu'elle a manifesté encore une fois sa loyauté, son don d'être là en temps de paix comme en période de tumulte.

Malgré l'inquiétude et la douloureuse surprise causées par une telle crise, nous étions heureux d'ouvrir largement nos services humanitaires et de mettre toutes nos ressources à l'œuvre pour venir en aide à nos concitoyens. Nos 2 000 bénévoles se sont relayés sans relâche auprès des sinistrés. Cette intervention n'aurait jamais été possible sans la contribution de ceux et celles qui ont souscrit à la campagne de financement « Opération Verglas ». Et, faut-il le rappeler, tout au cours de l'année, c'est l'apport constant de dons qui permet et soutient l'ensemble de nos activités.

Le projet DÉBRANCHÉ nous fournit l'occasion rêvée de souligner solennellement ces moments uniques marqués

The Red Cross is there in times of peace and in times of turmoil

Last January, the ice storm put us all to the test. The Red Cross was ready for duty, and I think that once again, we showed proof of our dedication and of our ability to be there in times of peace and in times of turmoil.

Despite the anxiety and the unexpectedness of the crisis, we were pleased to be able to provide our humanitarian services and to put our resources to work in aid of our fellow citizens. Our 2,000 volunteers worked without respite to help the disaster victims. This intervention would have been impossible without the support of all those who contributed to our ice storm relief operation. And, may I remind you that throughout the year, it is the constant influx of donations that allows us to maintain our activities.

The UNPLUGGED project has given us an unparalleled opportunity to solemnly underline these unique moments of mutual aid and solidarity through photographs, the universal means of communication.

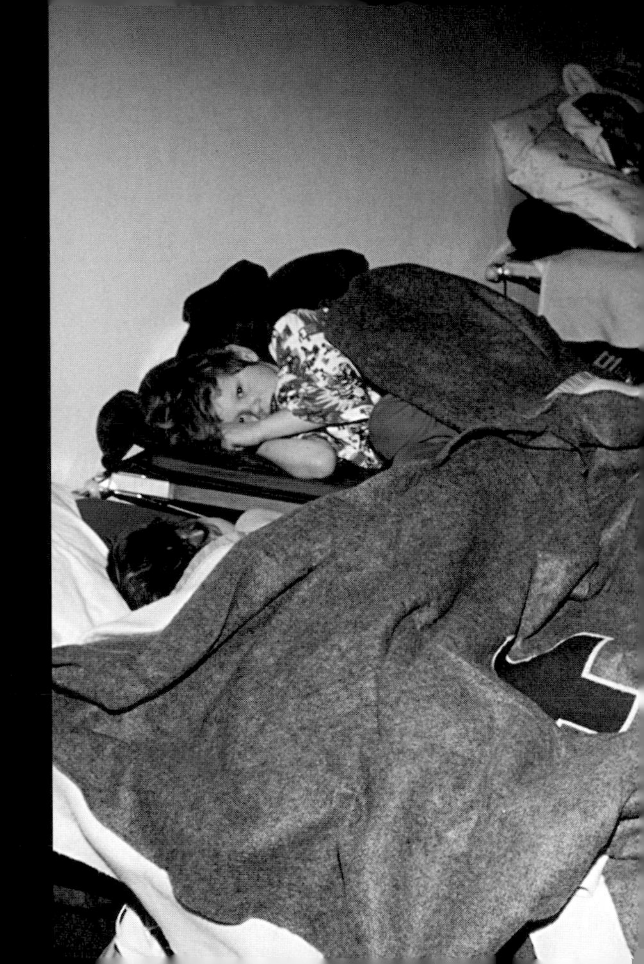

La Croix-Rouge
The Red Cross

par l'entraide et la solidarité. Il le fait au moyen d'un véhicule aussi noble qu'universel : la photographie.

Je tiens à remercier tous les partenaires qui ont rendu possible la réalisation d'un tel projet. Je souhaite aussi exprimer ma gratitude à tous ceux et celles qui, en achetant cet album, aident la Croix-Rouge à poursuivre son œuvre humanitaire. Sachez que vos dons nous permettent d'intervenir dans plus de 700 situations d'urgence chaque année. Ces sinistres s'avèrent certes moins importants que celui que nous avons connu récemment, mais les souffrances qu'ils occasionnent méritent tout autant notre compassion et notre dévouement.

Au nom de la Division du Québec, je vous remercie d'aider la Croix-Rouge canadienne à aider les autres.

Ré Jean Séguin
Directeur général
Division du Québec de
la Croix-Rouge canadienne

I would like to thank all of the partners involved in this project who have made it possible to realize this initiative. I would also like to express my appreciation to all those who are helping the Red Cross pursue its humanitarian work by buying this book. Remember that through your donations, we are able to intercede in more than 700 emergency situations each year. Of course, most of these disasters are not as serious as the one we experienced here recently, but the suffering that they cause is just as deserving of our compassion and dedication.

On behalf of the Quebec Division, I would like to thank you for helping the Canadian Red Cross help others.

Ré Jean Séguin
Director General
Quebec Division of
the Canadian Red Cross

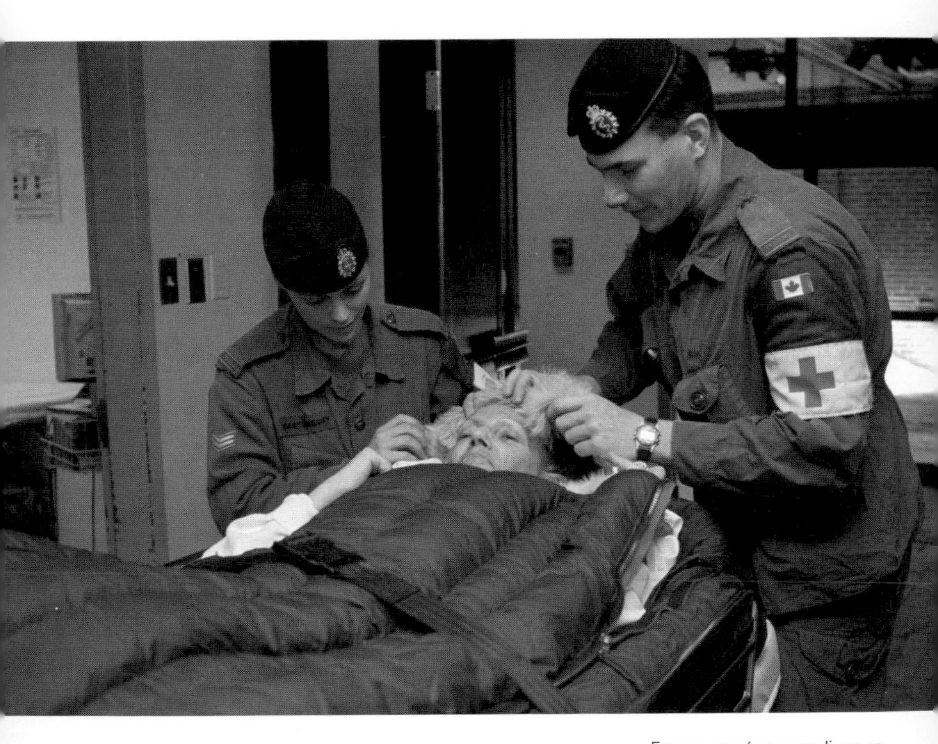

Forces armées canadiennes
Canadian Armed Forces

Une mission humanitaire à l'échelle de la planète

Dès le 6 janvier 1998, au tout début de la crise du verglas, la Division du Québec de la Croix-Rouge se mobilise et commence à mettre en place des centres d'hébergement. Rapidement, nous déployons plus de 2 000 bénévoles sur tout le territoire touché. Ce sont des centaines de milliers de sinistrés qui bénéficient alors de nos services humanitaires. Au plus fort de la crise, tout comme dans la phase dite de « rétablissement », nous leur apportons notre soutien au moyen de nos différents programmes, adaptés à leurs besoins. Qu'il s'agisse de renflouer les comptoirs alimentaires, de fournir une aide à domicile ou même de soutenir les rattrapages scolaires, nous étions là au service de nos concitoyens.

Au Québec et dans le monde entier, la Croix-Rouge met tout en œuvre pour améliorer les conditions de vie des plus vulnérables. C'est notre défi et notre engagement. Partout sur la planète, nous encourageons le respect des règles du droit international humanitaire. Pour ce faire, nous créons des partenariats avec d'autres sociétés de la Croix-Rouge ou du Croissant-Rouge et nous intervenons rapidement auprès

A humanitarian mission on a planetary scale

On January 6, 1998, the very beginning of the ice storm crisis, the Quebec Division of the Red Cross began its mobilization and started to set up emergency shelters. More than 2,000 volunteers were immediately deployed in the affected areas, from Greater Montreal to the Outaouais, including the Eastern Townships and the Montérégie.

Hundreds of thousands of disaster victims benefited from our humanitarian services. At the height of the crisis, as well as during the recovery phase, we provided victim support services through our different programs: restocking food banks, assisting people returning to their homes, even helping students catch up with their school work. The Red Cross was there, serving our fellow citizens.

In Quebec and around the world, the Red Cross strives to improve living conditions for the most vulnerable. This is our challenge and our commitment. Everywhere on this planet, we encourage respect for the rules of humanitarian international law. To do so, we work in partnership with other

des victimes de conflits ou de catastrophes naturelles.

La crise qui nous a secoués au début de l'année a été l'occasion, une fois de plus, d'une magnifique collaboration entre nos employés et nos bénévoles. Nous les en remercions. Nous exprimons aussi notre vive gratitude à tous les donateurs qui ont soutenu nos activités.

À peine un an et demi après les inondations du Saguenay – Lac-Saint-Jean, où nous avons maintenu une intervention de premier plan, la Division du Québec rappelle fièrement qu'elle a *le don d'être là* pour aider les plus vulnérables de la société.

Raymond Gervais
Président divisionnaire
Division du Québec de
la Croix-Rouge canadienne

Red Cross or Red Crescent Societies, rapidly stepping in to help victims of conflicts or natural disasters.

During the ice storm earlier this year, there was tremendous cooperation between our employees and volunteers. We would like to take this opportunity to thank them and to express our sincere gratitude to the many generous donors who sustained our operations.

Barely a year and a half after the Saguenay – Lac-St-Jean floods, where we were on the front lines of the response team, the Quebec Division is proud to be there to help the most vulnerable in our society.

Raymond Gervais
President
Quebec Division of
the Canadian Red Cross

Dix mille soldats fiers d'être là !

Janvier 1998 : une crise d'une ampleur inégalée secoue tout le sud du Québec, se ramifiant jusqu'en Ontario et au Nouveau-Brunswick. Ce qui allait devenir une perturbation « historique » a provoqué au sein des Forces armées canadiennes une réaction qu'on peut également qualifier d'historique. En effet, « l'Opération Récupération » a constitué le plus vaste déploiement militaire jamais réalisé en temps de paix au Canada.

Au plus fort de la crise, c'est plus de 16 000 membres des Forces armées canadiennes (dont 4 000 réservistes) provenant de partout au pays qui sont mis sur un pied d'alerte. La majorité d'entre eux, soit environ 11 000, œuvre au Québec. Au même moment, d'un bout à l'autre du Canada, 6 000 civils et militaires soutiennent les efforts nécessaires aux opérations.

Une vaste concertation s'établit avec les diverses autorités civiles. Partout sur le terrain, les équipes s'acharnent à la tâche. Nos militaires aident les équipes d'Hydro à rétablir le courant et celles de Bell à maintenir les services téléphoniques. On dégage les routes, on

Ten thousand soldiers proud to be there!

January 1998: An unparalleled disaster hit all of southern Quebec, extending into Ontario and New Brunswick. What would prove to be the "storm of the century" produced an equally historic reaction by the Canadian Armed Forces. In fact, "Operation Recovery" was the largest ever military deployment on Canadian soil in peace-time.

At the height of the crisis, more than 16,000 members of the Canadian Armed Forces (including 4,000 reserve-force soldiers) from all parts of the country were placed on alert status. Most of them, about 11,000, were assigned to work in Quebec, while 6,000 civilians and soldiers across Canada provided logistical support for the operation.

Joint action was planned with the various civil authorities. In the field, our teams got to work. Our soldiers helped Hydro teams restore power and helped Bell teams maintain telephone services. They cleared roads, trimmed trees, pumped water out of flooded basements, transported the sick to hospital, set up field kitchens to feed up to 1,000 people per meal, and generally assisted with public security.

élague les arbres, on pompe l'eau des sous-sols inondés, on transporte les malades à l'hôpital, on installe des cuisines de campagne pouvant nourrir jusqu'à 1 000 personnes par repas et, de façon générale, on assure la sécurité des citoyens.

Au point le plus critique de l'événement, on doit faire face à une pénurie criante d'articles devenus indispensables. On organise alors un pont aérien militaire entre différents endroits du Canada et l'aéroport de Mirabel. Environ 100 missions aériennes assurent ainsi le ravitaillement en lits de camp, couvertures et génératrices. De plus, à la demande du gouvernement du Québec, les membres des Forces armées cana-diennes sont investis des pouvoirs d'agents de la paix. Ces pouvoirs les autorisent à effectuer des patrouilles non armées et à accompagner les policiers dans les zones les plus touchées. Cette conjonction des effectifs de surveillance contribue à sauver des vies et à limiter les dégâts.

Le travail à abattre était d'une ampleur considérable. Toutefois, les milliers de militaires issus de l'Armée de terre, de la Marine et de la Force aérienne du Canada s'y sont attaqués avec enthousiasme. Nous croyons avoir rempli dignement un mandat moins connu

At the most critical point in the crisis, facing a serious shortage of vital goods, we organized a military airlift operation between various points across Canada and Mirabel Airport. About 100 air missions were flown to bring in needed supplies of cots, blankets and generators. Also, at the request of the Quebec government, members of the Canadian Armed Forces were vested with the powers of peace officers. These powers authorized our soldiers to perform unarmed patrols and to accompany police officers into the areas hardest hit by the storm. This joint surveillance operation contributed to saving lives and limiting damage.

There was a tremendous amount of work to be done, but thousands of servicemen and women from the Canadian Army, Navy and Air Force took it on with enthusiasm. We believe that we fulfilled with dignity one of the least known but, nonetheless, very important mandates of our mission: to protect the lives and property of Canadians in times of crisis.

We would also like to mention the extraordinary welcome and cooperation we received from the public. During this unprecedented operation, people from every stratum of society helped one another cope with the crisis and

mais tout aussi important de notre mission, soit celui de protéger la vie et les biens des Canadiennes et des Canadiens en tout temps.

Nous tenons également à souligner l'accueil et la coopération extraordinaires que nous a réservés la population. Dans cette opération d'une envergure sans précédent, des gens de toutes les strates de la société se sont épaulés afin de faire face au cataclysme, et nous remercions tous ceux et celles qui ont collaboré à la bonne marche de nos interventions. Cette crise nous a permis d'apprécier la valeur de la solidarité et du dépassement, et nous sommes heureux d'avoir mis nos ressources au service de nos concitoyens. Nous étions vraiment plus de 10 000 soldats très fiers d'être là.

Major Marc Rouleau
Officier des affaires publiques
Forces armées canadiennes
Secteur du Québec de la Force terrestre

we would like to thank all those who contributed to this effort. This crisis allowed us to appreciate the value of solidarity and we are pleased to have been able to serve our fellow citizens. Our more than ten thousand soldiers were proud to be there.

Major Marc Rouleau
Public Affairs Officer
Canadian Armed Forces
Land Force Quebec Area

Forces armées canadiennes
Canadian Armed Forces

Index des photographes   Index of Photographers

Alleyn, Jennifer – 182
Aquin, Benoit – 27, 45, 90, 178
Babin, Marc-Éric – 47
Barro, Claire – 37
Beaudet, Mario – 33
Beaulieu, Martin – 210
Beaupré, Alain – 40, 86, 144, 145, 173, 177
Béhar, Jean-Claude – 30
Benoit, Daniel – 116, 129
Bernard-Dallaire, Monique – 51
Bernard, Paul – 78, 96
Bérubé, Denis – 68
Borz, Pierre – 52
Bossel, Steve – 43
Bowitsch, Ronald – 128, 175
Brault, Bernard – 2, 26, 35, 99, 135, 140, 141
Brouard, Roger – 129
Brunet, Daniel – 83
Brunet, Valérie – 118, 119
Campeau, Gérard – 193
Chamberland, Martin – 31, 120, 161, 163, 164, 166, 194, 195
Charbonneau, Jean-Marc – 73
Comtois, Alain – 1, 38, 44, 114, 180
Comtois, Gisele – 48, 87, 145
Corbeil, Sylvain – 97
Cormier, David – 81
Coulombe, André – 129
Cusson, Michel – 77
D'Aragon, Jacques – 57
Dallaire, Marc L. – 115
Demers, Ivanoh – 112, 113
Déziel, Denise – 150
Dion, Alain – 58, 60, 62, 158
Djiwa, L. – 191
Ellemo, Jasmine – 102
Fecteau, Claude – 63, 117
Fournier, Jeannot – 54
Fournier, Lynn – 187
Furtado, Angelika – 134
Girard, Christine – 105
Glorieux, Sylvain – 131
Grégoire, Jean-François – 129
Grégoire, Lisette – 126
Guertin, Josée – 32, 137
Guèvremont, Bernard – 147
Guillermo, Jareda – 142
Guindon, François – 89
Hamelin, Karl-E. – 179
Hamelin, Rosalie – 110
Hammond, Linda – 124
Hemond, Johanne – 181
Hubert, Jean-Jacques – 79
Jolicœur, Normand – 46
Komorowski, Stan – 47, 64, 65, 70, 91, 92, 100, 109, 149, 186
Kopytko, David – 50, 151, 189, 190
Labelle, André – 94
Lacaille, Esther – 174
Lachance, Stéphanie – 183
Lafontaine, Marguerite – 36, 49, 148
Lafrance, Vincent – 76
Lambert, Bernard – 84, 93, 98
Landry, Manon – 121
Lanouette, Jocelyn – 41, 136
Laprise, Martin – 25
Le Galès, Virginie – 138
Le Maire, Céline – 39
Le pied bot – 139
Leclerc, Richard – 134
Lemée, Remi – 47
Lemire, Martin – 169
Londono, John – 34
Malette, Sylvain – 67
Malo, Pierre – 85, 127
Ménard, Miroslav – 172
Mercier, Guy – 61, 69, 130
Monette, Yvon – 53, 55, 56, 72, 111, 143
Mongeon, Stephan – 75
Morier, Charles – 28, 29
Nadeau, Jacques – 95, 125
Nadon, Robert – 71
Perreault, Vitalie – 132
Pietrusiak, Louis – 123
Poulin, Pierre-Paul – 4, 101, 107, 152, 156, 162, 171, 176, 184
Proulx, Gilles – 100, 192
Proulx, Guylaine – 133
Remise, Valérie – 59, 153, 170
Roy, Christine – 134
Ruffieux, Anouk – 215
Rutenberg, Linda – 122, 154
Samson, Gilbert – 80
Saucier, Julien – 104, 155
St-Germain, Raymonde – 82
St-Jean, Michel – 47, 66, 106, 160
Verge, Marilyn – 146, 159
Zinger, Nathalie – 145

« DÉBRANCHÉ le concours photo » était ouvert aux photographes amateurs et professionnels du Québec. Les employés et photographes de La Presse, la Croix-Rouge canadienne, Division du Québec, les Forces armées canadiennes ainsi que les membres du jury, du comité organisateur et du comité de présélection n'étaient pas admissibles au concours. Toutefois, ces partenaires et ces collaborateurs ont été invités à nous fournir quelques photographies qui sont publiées dans cet album.

"UNPLUGGED The Photo Contest" was open to amateur and professional photographers in Quebec. Employees and photographers of La Presse, the Canadian Red Cross, Quebec Division, the Canadian Armed Forces, as well as members of the jury, the organizing committee and the pre-selection committee were not eligible to participate in the contest. However, these partners and contributors were invited to submit photographs for publication in this book.

Monstre urbain, **Boucherville**
Martin Beaulieu, Montréal

Remerciements

Je souhaite tout d'abord remercier Louise Giroux de la Croix-Rouge canadienne, Division du Québec. Elle est la première personne avec qui j'ai partagé l'idée embryonnaire de cet audacieux projet. Sa confiance et son appui, dès le début, ont été une véritable source de motivation.

Le soutien inestimable de **Bell Mobilité**, commanditaire principal de cet événement, a permis en grande partie la réalisation de ce projet. En effet, Bell Mobilité a réagi rapidement et efficacement, s'imposant comme un partenaire de premier plan. Merci à Diane Fabi et à son équipe.

Je tiens à souligner le soutien et la confiance des Forces armées canadiennes, plus particulièrement du **Secteur du Québec de la Force terrestre**. Merci au Major Marc Rouleau et au Général Commandant Alain R. Forand d'avoir cru à ce projet.

Sans médias, un tel projet n'aurait pu voir le jour. Je remercie donc **La Presse**, la radio de **Radio-Canada**, **MétéoMédia**, **Radio-Énergie** et **Radio-Média** pour avoir si généreusement médiatisé l'événement.

Acknowledgments

Let me begin by thanking Louise Giroux of the Canadian Red Cross, Quebec Division. She is the first person with whom I shared the initial idea for this project. From the very start, her confidence and support have been a tremendous source of encouragement.

Bell Mobility, our principal sponsor, provided invaluable support which, to a large extent, made this project feasible. Bell Mobility, a first class partner, reacted quickly and effectively, thanks to Diane Fabi and her team.

I would like to underline the support and confidence of the Canadian Armed Forces, particularly the **Land Force Quebec Area**, and thank Major Marc Rouleau and Commanding General Alain R. Forand for their belief in this project.

Without the media, this project would never have gotten off the ground. Therefore I would like to thank **La Presse**, **CBC Radio**, **MétéoMédia**, **Radio-Énergie** and **Radio-Média** for their generous coverage of the event.

I extend my sincere thanks to the jury members for their consideration and

Je remercie sincèrement tous les membres du jury pour leur attention et leur perspicacité : Gaston L'Heureux (président) ; Serge Chapleau, caricaturiste, La Presse ; Bernard Brault, photographe, La Presse ; Jacques Nadeau, photographe de presse ; Valérie Letarte, chroniqueure culturelle, Radio-Canada ; Louise Giroux, directrice, campagne de financement, Croix-Rouge canadienne, Division du Québec ; Diane Fabi, directrice, affaires publiques, Bell Mobilité ; Gilles Proulx, animateur radio, CKAC ; Pierre Dionne, météorologue-recherchiste senior, MétéoMédia ; Major Marc Rouleau, officier supérieur, affaires publiques, Défense nationale ; Louis Lapointe, directeur pédagogique en éditique-Internet, Institut Icari.

Je suis aussi reconnaissant aux membres du comité organisateur et du comité de présélection : Pierrette Gravel, Louis Lapointe, Jacques Nadeau, Sylvain Turner, Annik Alder, Denis Gagnon, Jessica Renaud, Claudia Larouche et Monique Renaud.

Plusieurs autres collaborateurs ont permis à ce merveilleux projet de prendre son envol. Ensemble, nous avons partagé idées et intuitions. Merci à Danyel Pépin, Andréanne Foucault, Caroline Godin, Françoise Angers, Luc

vision: Gaston L'Heureux (chairman); Serge Chapleau, editorial cartoonist for La Presse; Valérie Letarte, cultural editor, Radio-Canada; Louise Giroux, fund-raising manager, Canadian Red Cross, Quebec Division; Diane Fabi, public affairs director, Bell Mobility; Gilles Proulx, radio announcer, CKAC; Pierre Dionne, senior meteorologist-researcher, MétéoMédia; Major Marc Rouleau, superior officer, public affairs, National Defence; Louis Lapointe, desktop publishing educational director-Internet, Institut Icari.

I am also very grateful to the members of the organizing committee: Pierrette Gravel, Louis Lapointe, Jacques Nadeau, Sylvain Turner and Annik Alder; and to the members of the pre-selection committee: Jacques Nadeau, Denis Gagnon, Pierrette Gravel, Jessica Renaud, Annik Alder, Claudia Larouche, Monique Renaud and Louis Lapointe.

A number of other people who shared their ideas and insights with me also contributed to the success of this wonderful project. Thank you Danyel Pépin, Andréanne Foucault, Caroline Godin, Françoise Angers, Luc de Bellefeuille, Janine Lahaie, Katia Villeneuve, Lieutenant-Commander Jean Marcotte, Raymond Cantin, Denis

Major Marc Rouleau

Serge Chapleau

Gilles Proulx

Marcel Renaud

Diane Fabi

Gaston L'Heureux

Valérie Letarte

Louise Girou

Jacques Nadeau

Pierre Dionne

ernard Brault

ouis Lapointe

de Bellefeuille, Janine Lahaie, Katia Villeneuve, le capitaine de corvette Jean Marcotte, Raymond Cantin, Denis Renaud, Jean-Luc St-Martin, Pierre Boutin, Monique Larose, Christiane Thellend, Danica Zupan, Yves Mainville, Christine Barbeau, Frédéric Lévesque, Michel Ménard et Trevor Ferguson.

La collaboration des entreprises suivantes mérite également d'être soulignée : Les Entreprises Jacrel, Groupe Défi, Multi Golf, Laboratoire Photo Contact, Marriott Château Champlain et Giroux, Ménard et Associés.

Je remercie Jacques Fortin des Éditions Québec/Amérique, ainsi que mes amis Jean-Marc Rufiange et François Tremblay pour leurs précieux conseils et les idées que nous avons partagées. Mille mercis à mon épouse Claudia et à ma fille Jessica pour leur patience et leur encouragement.

Enfin, pour avoir si gracieusement partagé son temps et son énergie, je remercie sincèrement Gaston L'Heureux. Son profond engagement, sa vision des choses et sa générosité ont permis à ce projet non seulement de se concrétiser, mais aussi d'évoluer.

Marcel Renaud

Renaud, Jean-Luc St-Martin, Pierre Boutin, Pierre Gravel, Monique Larose, Christiane Thellend, Danica Zupan, Yves Mainville, Christine Barbeau, Frédéric Lévesque, Michel Ménard and Trevor Ferguson.

I would also like to mention the support we received from the following companies: Les Entreprises Jacrel, Groupe Défi, Multi Golf, Laboratoire Photo Contact, Marriott Château Champlain and Giroux, Ménard et Associés.

Many thanks go to my friends Jean-Marc Rufiange and François Tremblay for their valuable advice and ideas. Thanks also to Jacques Fortin of Editions Québec/Amérique and of course to my wife, Claudia, and my daughter, Jessica, for their patience and encouragement.

And finally, for having so graciously shared his time and energy, I would like to sincerely thank Gaston L'Heureux. His total commitment, vision and generosity allowed this project not only to become a reality, but also to evolve.

Marcel Renaud

2e MENTION
2nd HONOURABLE MENTION

Je me souviens
Anouk Ruffieux, Montréal

Pertinence et humour rivalisent dans ce gros plan. Exactement comme cette plaque d'immatriculation, tout le sud du Québec était figé sous la glace.

Relevance and humour contend in this close-up. Like this licence plate, all of southern Quebec was coated in ice